ISBN collection : 2-84634-108-7
ISBN ouvrage : 2-84634-125-7

Imprimé et relié en France, par Pollina. N° L82873
Dépôt légal : février 2001

Design et documentation
Marshall Edition Development Limited

PRÉSENTE

Le Monde Merveilleux de la Connaissance

La Terre

Comment utiliser ton encyclopédie

 Avec Mickey, Minnie, Donald, Daisy, Dingo et Pluto, tu vas embarquer pour la grande aventure de la connaissance. En chemin, tu découvriras le secret des sciences, de la nature, du monde où nous vivons, du passé et bien plus encore. Attache bien ta ceinture, attention au départ !

Regarde à cet endroit pour trouver le résumé du sujet traité sur cette page.

Les légendes t'expliquent ce qui se passe dans les images.

Les oreilles de Mickey *te font découvrir le sujet principal.*

En observant les images, tu peux apprendre beaucoup, avant même d'avoir lu le texte.

Recherche les pages spéciales où Mickey examine de plus près les idées importantes.

Un monde en pleine transfo

De grands changements su dans le monde à la période cré à 65 millions d'années avant au Le territoire se divise pour form nouveaux continents. De nouvel de dinosaures herbivores appara et les dinosaures carnivores dev également très nombreux.

LES ANIMAUX DU CRÉTACÉ
De gigantesques dinosaures chasseurs parcouraient le territoire. Les oiseaux volaient au-dessus d'eux en compagnie de grands reptiles volants, tandis que les ichthyosaures nageaient dans la mer.

Le chorythosaurus, un dinosaure herbivore

LES DINOSAURES

À la découverte des dinosaures

Personne n'a jamais vu un dinosaure vivant, mais nous savons pourtant qu'ils ont existé grâce aux nombreux fossiles qui ont été retrouvés un peu partout dans le monde.

Les fossiles sont les restes des plantes et des animaux disparus depuis longtemps et préservés dans la pierre. Les fossiles de dinosaures les plus répandus sont les os et les dents, mais on a également retrouvé des empreintes d'excréments, d'œufs, de traces de pattes et de relief de peau. La plupart des fossiles sont découverts par des experts nommés paléontologues, des scientifiques qui étudient la vie préhistorique. Ils rassemblent les os et tous les restes afin d'apprendre le plus de choses possible sur les dinosaures.

Excréments de dinosaures fossilisés.

Empreintes de peau de dinosaure.

DES FOUILLES POUR RETROUVER DES OS
Les os de dinosaures fossiles doivent être extraits de la roche avec beaucoup de précaution, et avec des outils variés : des burins, par exemple, mais aussi des brosses souples. Quand on trouve des os très grands dans un bloc de pierre, il faut les envelopper dans de la toile et du plâtre pour les protéger pendant le transport.

Chaque os est photographié avant d'être retiré de la roche.

Les os de grande taille, enveloppés dans du plâtre, doivent être manipulés avec beaucoup de précaution.

Des ouvriers enveloppent un os dans de la toile et du plâtre.

DU DINOSAURE AU FOSSILE

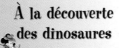

1 Quand le dinosaure meurt, sa chair se putréfie et disparaît. Il ne reste plus que les os.

2 Les os sont peu à peu recouverts par des couches de boue et de sable.

3 En quelques millions d'années, la boue, le sable et les se transforment en roche.

4 Les couches de roche sont usées par le vent et la pluie et les os fossiles, très durs, finissent par apparaître.

À LA DÉCOUVERTE DES DINOSAURES

Pour parvenir à exhumer des fossiles, les fouilles peuvent durer des semaines et les scientifiques installent le plus souvent un campement sur le site.

Les os enveloppés sont prêts à être chargés sur des camions.

Un expert en fossiles est en train de ciseler la roche au burin.

RECONSTITUTION DU SQUELETTE
Dans un laboratoire ou un musée, les spécialistes finissent de détacher l'os de la pierre. Ils reconstituent autant que possible le squelette. Grâce aux marques laissées sur les os par les muscles, ils parviennent à s'approcher le plus possible de la réalité.

Préparation de la reconstitution du squelette.

La position de chaque os est reportée sur une carte du site.

Des archéologues en train d'extraire des restes de dinosaure.

Des enfants à la recherche de fossiles.

Des outils.

TOI AUSSI TU PEUX TROUVER DES FOSSILES
Tout le monde peut découvrir des fossiles, bien qu'ils ne soient pas tous de dinosaures. Cherche sur la plage ou aux endroits où la roche est sédimentaire, comme le grès ou le schiste. Il te faut des outils simples : un marteau et un burin, par exemple. Demande à un adulte de t'aider à tailler la roche, tu pourrais découvrir de superbes fossiles à l'intérieur.

POUR EN SAVOIR PLUS
LA TERRE : fossiles
L'HISTOIRE ANCIENNE : fouilles archéologiques

18   19

Les pages numérotées de Mickey *t'aident à trouver ce que tu cherches. N'oublie pas qu'il existe aussi un glossaire et un index à la fin de chaque volume.*

Les chiffres *te guident pas à pas dans le déroulement d'un événement.*

Mickey t'indique quelles informations complémentaires tu dois rechercher dans les autres volumes de ton encyclopédie.

POUR EN SAVOIR PLUS
LA TERRE : les fossiles
L'HISTOIRE ANCIENNE : les fouilles archéologiques

C'EST INCROYABLE !

★ Les ailes déployées du *pteranodon* mesuraient environ 7 m d'un bout à l'autre. C'est à peu près deux fois plus large qu'une voiture de taille moyenne.

Tes personnages préférés connaissent des détails incroyables qui étonneront tes amis.

UN MONDE EN PLEINE TRANSFORMATION

Le pteranodon,
un reptile volant.

UN CLIMAT CHANGEANT

Au début de la période crétacée, le climat était chaud en permanence, mais il y avait aussi, chaque année, des saisons humides et des saisons sèches.

L'ichthyosaurus,
un reptile marin.

ation

Le monde au crétacé
Terre | Mer peu profonde | Mer profonde

e 145
i).

s

C'EST INCROYABLE !

★ Les ailes déployées du *pteranodon* mesuraient environ 7 m d'un bout à l'autre. C'est à peu près deux fois plus large qu'une voiture de taille moyenne.

L'ichthyornis,
un oiseau.

PLANTES À FLEURS

Les plantes à fleurs sont probablement apparues près de l'Équateur 120 millions d'années environ avant aujourd'hui. Les abeilles et d'autres insectes volants ont propagé leur pollen et bientôt des fleurs se sont mises à pousser partout. Les fougères et les cycas sont alors devenus beaucoup moins abondants.

Le tarbosaurus,
un grand dinosaure chasseur.

Plantes à fleurs.

POUR EN SAVOIR PLUS
LES INSECTES ET ARAIGNÉES : abeilles
LA VIE VÉGÉTALE : plantes à fleurs

iceratops,
nosaure à

Les complices de Mickey font eux-mêmes quelques expériences.

a fenêtre
n couleur met
es informations
nportantes
n valeur.

Sommaire

La Terre

Il y a des millions d'années, une énorme boule
de roche en fusion tournait autour du Soleil.
Petit à petit, elle a refroidi. Quand une croûte
s'est formée, des gaz brûlants en ont jailli
et se sont transformés en air, donnant naissance
à des nuages et à de l'eau. Pour finir,
des organismes vivants sont apparus.
Notre Terre avait commencé à vivre.

La Terre s'est formée des paysages que nous connaissons,
comme les forêts, les déserts et les prairies. Les volcans
et les tremblements de terre, les ouragans et les tornades,
montrent la puissance qui est intervenue dans sa création.
Encore aujourd'hui, notre planète se transforme avec les forces
du vent, de la glace et de l'eau.

L'histoire de la Terre

La Terre est une énorme boule de roche qui tourne autour d'une étoile appelée le Soleil. La Terre s'est formée il y a environ 4,6 milliards d'années à partir de gaz brûlants et de poussière, qui devinrent alors une boule de roche liquide en fusion. Pendant des millions d'années, la température du centre de cette boule a refroidi d'à peu près 5 500 °C. Des gaz se sont échappés des profondeurs de la Terre et se sont répartis autour d'elle, formant une couche gazeuse appelée atmosphère.

COMMENT LA TERRE S'EST FORMÉE

 LA VUE D'UN ASTRONAUTE

Vue de la Lune, la Terre semble ronde, mais en réalité elle est légèrement aplatie aux deux pôles, et bombée en son milieu. Une grande partie de la Terre est couverte d'eau, ce qui lui donne l'aspect d'une planète bleue.

La Terre vue de la Lune.

1 Dans les premières heures de l'histoire de la Terre, la planète était une boule de roche liquide en fusion. Quand sa surface a pris forme, des gaz se sont échappés des profondeurs de la Terre par les volcans et ont créé une atmosphère autour de la planète.

2 La Terre a refroidi graduellement et la roche liquide de la surface s'est solidifiée. Des nuages se sont formés dans la nouvelle atmosphère et il s'est mis à pleuvoir. Les océans et les mers ont commencé à se remplir.

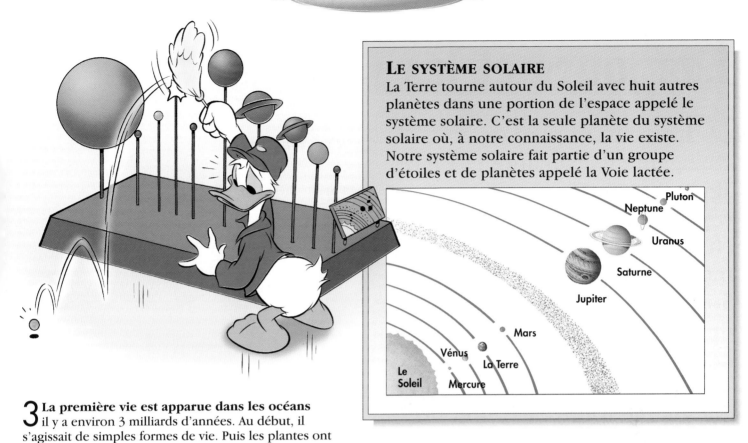

LE SYSTÈME SOLAIRE

La Terre tourne autour du Soleil avec huit autres planètes dans une portion de l'espace appelé le système solaire. C'est la seule planète du système solaire où, à notre connaissance, la vie existe. Notre système solaire fait partie d'un groupe d'étoiles et de planètes appelé la Voie lactée.

Pluton
Neptune
Uranus
Saturne
Jupiter
Mars
Vénus
La Terre
Le Soleil
Mercure

3 La première vie est apparue dans les océans il y a environ 3 milliards d'années. Au début, il s'agissait de simples formes de vie. Puis les plantes ont poussé, les animaux se sont développés, et la vie s'est déplacée de l'eau vers la terre.

4 Aujourd'hui, il existe de nombreuses variétés de plantes et d'animaux sur la Terre. La planète continue à refroidir mais son noyau est très chaud. Il y a toujours des volcans et des tempêtes mais moins qu'au moment de la création de la Terre.

C'EST INCROYABLE !

★ Le Soleil est si grand qu'il pourrait contenir 1 million de fois la Terre.

POUR EN SAVOIR PLUS
LES DINOSAURES : les ères
L'ESPACE : la Terre

Les jours et les saisons

☞ Les saisons sont des changements climatiques de la Terre durant l'année. Elles se répètent aux mêmes intervalles chaque année parce que la Terre met un an pour faire le tour du Soleil. Cela fait que le même côté de la Terre fait face au Soleil à la même période chaque année. La Terre tourne également sur elle-même toutes les 24 heures, provoquant le jour et la nuit.

La Terre est légèrement penchée d'un côté.

Mois de mars ; le printemps dans l'hémisphère nord, l'automne dans l'hémisphère sud.

N

S

SOLEIL

La Terre tourne autour du Soleil dans cette direction.

N

Clé :
N = Nord
S = Sud

Mois de juin ; l'été dans l'hémisphère nord, l'hiver dans l'hémisphère sud.

S

Les saisons pendant toute l'année.

CHANGEMENTS DE SAISONS

Selon l'orientation de la Terre à différentes périodes de l'année, certains endroits sont plus proches du Soleil que d'autres. Les endroits les plus proches du Soleil ont plus de lumière et de chaleur, ce qui constitue la saison d'été. Dans les endroits qui se trouvent de l'autre côté, c'est l'hiver.

Mois de décembre ;
l'hiver dans
l'hémisphère nord, l'été
dans l'hémisphère sud.

N

S

Décembre :
l'hiver en
Amérique du
Nord, dans
l'hémisphère
nord.

L'équateur
divise la
Terre en deux
hémisphères,
nord et sud.

Décembre :
l'été en
Australie, dans
l'hémisphère
sud.

Le Soleil envoie
de la lumière et des
rayons de chaleur.

N

Jour.

La Terre tourne
une fois sur elle-
même toutes les
24 heures. Elle
tourne toujours
vers l'est.

Mois de septembre ;
l'automne dans
l'hémisphère nord,
le printemps dans
l'hémisphère sud.

Axe
de la
Terre.

S   *Nuit.*

LES SAISONS DU MONDE

Le monde est divisé en deux parties,
appelées hémisphères, par l'équateur.
La plupart des régions du monde ont
quatre saisons, le printemps, l'été,
l'automne et l'hiver. Cependant, les
deux pôles, aux extrêmes nord et sud
de la planète, ne connaissent que
l'hiver et l'été. Les régions de
l'hémisphère nord sont toujours
dans la saison opposée à celles
de l'hémisphère sud.

LE JOUR ET LA NUIT

Il faut 24 heures à la Terre pour faire
un tour sur son axe. L'axe est une
ligne imaginaire qui traverse la
Terre, allant du pôle Sud au pôle
Nord. Dans la partie de la Terre qui
fait face au Soleil, c'est la journée.
Alors que la Terre tourne, cette
partie s'éloigne de la lumière et
tombe dans la nuit. Lorsqu'il fait
jour d'un côté de la Terre, il fait
nuit de l'autre.

Le lever du Soleil :
une nouvelle
journée.

C'EST INCROYABLE !

★ La Terre se déplace
à plus de 105 000 km/h
en tournant autour
du Soleil.

POUR EN SAVOIR PLUS
L'ESPACE : le Soleil
LES SCIENCES QUI NOUS ENTOURENT :
les ombres

L'intérieur et l'extérieur

La Terre est composée de couches de roche et de métal brûlants. Autour de l'extérieur de la Terre, il y a des couches de gaz, qu'on appelle l'atmosphère. L'atmosphère contrôle la température de la Terre et fournit de l'air pour permettre aux êtres vivants de respirer. Elle filtre aussi certains rayons du Soleil qui sont nocifs.

DES COUCHES DE ROCHE ET DE MÉTAL

La Terre est constituée de trois couches principales. La fine couche extérieure sur laquelle nous vivons est faite de roche compacte et froide. Sous la croûte se trouve une couche très épaisse et chaude appelée le manteau. Au milieu de la Terre se trouve le noyau. Il est constitué d'un noyau de métal solide central entouré d'un noyau extérieur de métal liquide.

Certaines parties de la croûte sont des sols de terre recouvrant la roche.

Manteau de roche chaude.

Noyau extérieur de métal liquide.

Noyau intérieur de métal solide.

LA TERRE EST UNE PÊCHE

Les couches de la Terre sont comme celles d'une pêche. La fine peau de la pêche est comme la croûte terrestre. La chair molle de la pêche est comme le manteau de la Terre. Et le dur noyau de la pêche est comme le noyau de métal de la Terre.

Couches d'une pêche.

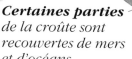

Certaines parties de la croûte sont recouvertes de mers et d'océans.

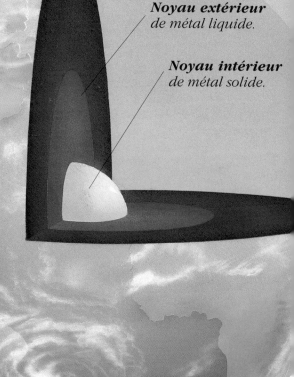

Les couches et l'atmosphère de la Terre.

DES COUCHES DE GAZ

Il y a cinq couches principales
de gaz dans l'atmosphère
de la Terre. Elles sont appelées
la troposphère, la stratosphère,
la mésosphère, la thermosphère
et l'exosphère.

L'exosphère
est la plus fine
couche de gaz.

La thermosphère
est la couche de gaz
la plus chaude.

La mésosphère
est la couche de gaz
la plus froide.

La stratosphère
est la couche de gaz où
volent les avions à réaction.

La troposphère
est la couche de gaz
où change la météo.

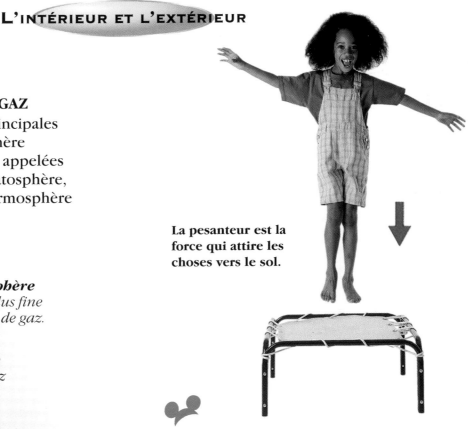

La pesanteur est la
force qui attire les
choses vers le sol.

LA PESANTEUR

Lorsque tu sautes sur un trampoline,
une force appelée la pesanteur te fait
redescendre. De la même manière,
la pesanteur de la Terre tire tout vers
son centre. Elle empêche les objets de
s'envoler et fait tomber la pluie au sol.

C'EST INCROYABLE !

★ Si une personne pouvait
marcher jusqu'au centre de
la Terre, cela lui prendrait
10 semaines sans s'arrêter.

POUR EN SAVOIR PLUS
LES SCIENCES QUI NOUS ENTOURENT : la pesanteur
L'ESPACE : l'atmosphère de la Terre

La dérive des continents

La croûte terrestre est fissurée en morceaux de roches géants appelés plaques, lesquelles s'encastrent comme les pièces d'un puzzle. Quand la roche liquide enfouie au fond de la Terre se met à bouger, cela fait glisser les plaques. Sur ces plaques, il y a d'immenses étendues de terre qu'on appelle des continents. Quand les plaques glissent, les continents dérivent.

TERRE CHANGEANTE

Il y a plus de 200 millions d'années, tous les territoires de la Terre composaient un seul et énorme continent. Les scientifiques l'appellent la Pangée. Elle s'est lentement fracturée et les morceaux ont dérivé à travers la planète pour former les sept continents qui composent le monde aujourd'hui.

PLAQUES COULISSANTES

Lorsque deux plaques glissent en sens inverse l'une de l'autre, une énorme fissure appelée une faille apparaît dans la roche. Sur la côte ouest de l'Amérique du Nord, il y a une longue fissure qu'on appelle la faille de San Andreas. Les tremblements de terre sont fréquents le long des failles.

La faille de San Andreas se trouve à l'endroit où deux plaques se sont déplacées en glissant, en Californie, aux États-Unis. La faille mesure environ 1 125 km de long.

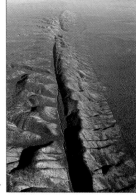

La faille de San Andreas.

Comment la Pangée s'est fracturée pour créer les continents actuels.

Les continents ont lentement dérivé à travers la Terre.

Les continents tels qu'ils sont aujourd'hui.

Amérique du Nord

Europe

Asi

Afrique

Équateur

Amérique du Sud

Antarctique

Le fossé tectonique (Rift Valley) de l'Afrique de l'Est s'est formé quand deux plaques se sont séparées.

COMMENT BOUGE UNE PLAQUE

Quand deux plaques se touchent, trois choses peuvent se produire : elles peuvent ou se fracasser l'une contre l'autre, ou se séparer, ou glisser en sens inverse l'une de l'autre.

La plupart des plaques se séparent sous les océans, et la roche liquide remonte pour combler la fissure.

La fosse des Mariannes est le point le plus profond de la Terre. Elle s'est formée quand deux plaques se sont fracassées l'une contre l'autre et que l'une fut poussée vers le bas, à l'intérieur de la Terre.

Les failles se forment et les tremblements de terre peuvent se produire quand deux plaques se déplacent en sens inverse en glissant.

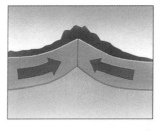

La collision de deux plaques peut créer des montagnes.

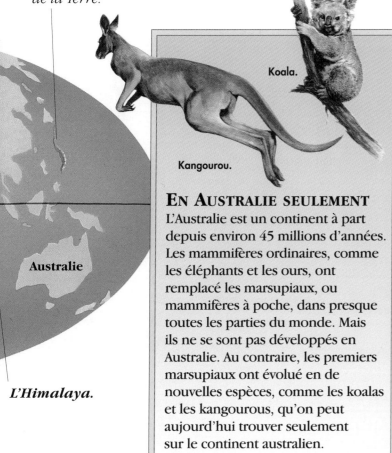

Koala.

Kangourou.

EN AUSTRALIE SEULEMENT

L'Australie est un continent à part depuis environ 45 millions d'années. Les mammifères ordinaires, comme les éléphants et les ours, ont remplacé les marsupiaux, ou mammifères à poche, dans presque toutes les parties du monde. Mais ils ne se sont pas développés en Australie. Au contraire, les premiers marsupiaux ont évolué en de nouvelles espèces, comme les koalas et les kangourous, qu'on peut aujourd'hui trouver seulement sur le continent australien.

Australie

L'Himalaya.

C'EST INCROYABLE !

★ Chaque année, les continents du monde bougent de 2 cm.

POUR EN SAVOIR PLUS
LES SITES CÉLÈBRES : l'Himalaya
LES MAMMIFÈRES : les marsupiaux

Les tremblements de terre

☞ Un tremblement de terre est une brusque secousse de la croûte terrestre. Les tremblements de terre se produisent quand les bords des plaques se touchent en glissant l'un contre l'autre. La roche est secouée, faisant trembler la surface de la Terre. Sur un demi-million de tremblements de terre chaque année, mille occasionnent de graves dégâts. Lorsqu'un tremblement de terre a lieu sous la mer, il provoque parfois d'énormes vagues appelées raz de marée.

PENDANT UN TREMBLEMENT DE TERRE

Les ondes de choc d'un tremblement de terre partent d'un point sous terre appelé le foyer. Les pires dégâts ont lieu en un point à la surface de la Terre appelé l'épicentre. Il se trouve au-dessus du foyer, souvent sur une faille.

Des hélicoptères survolent la région pour mesurer l'étendue des dégâts.

Les immeubles modernes sont conçus pour résister aux tremblements de terre.

Les immeubles anciens s'effondrent.

Dégâts dus à un tremblement de terre à Kobé, au Japon, en 1995.

La faille est une grande fissure dans la roche de la croûte terrestre.

L'épicentre est le point qui se trouve à la surface, au-dessus du foyer.

L'ÉNERGIE DU TREMBLEMENT DE TERRE

Les échelles de Richter et de Mercalli mesurent l'énergie dégagée par les ondes de choc d'un tremblement de terre. Un tremblement de terre de 2 ou moins sur l'échelle de Richter ne sera peut-être pas ressenti. S'il atteint 7 ou plus, il peut provoquer des dégâts très importants.

Sur les bords de la faille, deux plaques se croisent en glissant.

Les ondes de choc du foyer se propagent comme celles d'un caillou qu'on jette dans l'eau.

Le foyer est l'endroit d'où part le tremblement de terre.

Les incendies sont courants *après un tremblement de terre.*

Tremblement de terre imaginaire à San Francisco, aux États-Unis.

Le Transamerica Building, à San Francisco, aux États-Unis.

LA FORCE DES TREMBLEMENTS DE TERRE

L'échelle de Mercalli mesure la force d'un tremblement de terre en regardant les dégâts qu'il a occasionnés. Il y a 12 degrés de dégâts sur cette échelle.

Degré 3   **Légèrement ressenti,** les lampes sont secouées.

Degré 5   **Ressenti par tout le monde,** les verres se renversent.

Degré 9   **Dégâts graves,** les tours s'effondrent, les canalisations se brisent.

Degré 12   **dégâts très graves,** de grandes étendues de terre glissent et se déplacent.

Quatre des douze degrés de l'échelle de Mercalli.

C'EST INCROYABLE !

★ Certains animaux se comportent bizarrement avant un tremblement de terre. Les chiens aboient sauvagement parce qu'ils peuvent peut-être ressentir les secousses avant les humains.

À L'ABRI DES TREMBLEMENTS DE TERRE

Certains immeubles sont spécialement conçus pour résister aux tremblements de terre. Ils ont de solides fondations et bougent un petit peu si la terre tremble. La forme en pyramide du Transamerica Building à San Francisco, aux États-Unis, l'empêche de s'effondrer pendant un tremblement de terre.

POUR EN SAVOIR PLUS
LES ENFANTS DU MONDE : le Japon
LES GRANDES INVENTIONS : les gratte-ciel

19

Les volcans

Un volcan est un trou dans la croûte terrestre par lequel la roche liquide en fusion se déverse de l'intérieur de la planète. En refroidissant, la roche forme des collines et des montagnes. On trouve la plupart des volcans au bord des plaques de la Terre. De temps en temps, un volcan en activité entre en éruption. On appelle un volcan qui n'a pas eu d'éruption depuis longtemps un volcan éteint.

Le magma sous pression jaillit du cratère et se répand à la surface sous le nom de lave.

Cheminée centrale.

Le magma remonte par la cheminée.

Fissure latérale.

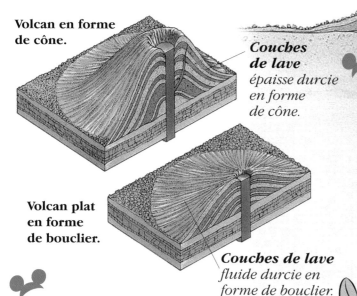

Volcan en forme de cône.

Couches de lave épaisse durcie en forme de cône.

Volcan plat en forme de bouclier.

Couches de lave fluide durcie en forme de bouclier.

UNE MONTAGNE DE LAVE

Sous un volcan, il y a une cavité, ou une chambre, qui contient de la roche liquide incandescente appelée magma. Quand la pression augmente dans la chambre, cela fait remonter le magma à la surface par un conduit appelé une cheminée. Il jaillit du cratère. En arrivant à la surface, le magma s'appelle de la lave.

Chambre magmatique d'une ancienne éruption.

LES FORMES D'UN VOLCAN

Un volcan est composé de couches d'ancienne lave durcie. Sa forme dépend du type de lave qui en a jailli, et à quelle distance la lave s'est écoulée. La lave fluide donne des volcans plats, en forme de bouclier ; la lave épaisse des volcans hauts, en forme de cône.

C'EST INCROYABLE !

★ La lave peut couler à plus de 100 km/h.

★ La lave est environ 12 fois plus chaude que de l'eau bouillante.

Nouvelle chambre magmatique remplie de roche liquide incandescente.

Cratère.

Coupe transversale
d'un volcan en éruption.

Flots de lave.

Un geyser est une fontaine d'eau chaude
et de vapeur chauffée par
une activité volcanique
souterraine.

**Les lacs de cratère du Kelimutu,
en Indonésie.**

EXPLOSION AU SOMMET

Une éruption violente peut emporter
d'un coup le sommet d'un volcan. Cela
laisse un cratère, ou une cuvette, appelée
une caldeira. Elle peut se remplir d'eau
et devenir un lac de cratère. Si le cratère
reste sec, de petits cônes de cendre et de
lave peuvent s'accumuler sur sa surface
plate à chaque éruption volcanique.

DES SAVANTS
EN COMBINAISON

Les scientifiques qui étudient
les volcans doivent porter
des tenues spéciales. Des
échantillons de lave les aident à
en apprendre plus sur les roches
de l'intérieur de la Terre et à
prévoir de nouvelles éruptions.

**Scientifique étudiant un flot
de lave.**

POUR EN SAVOIR PLUS
LES ENFANTS DU MONDE : les geysers
L'HISTOIRE ANCIENNE : Pompéi

Les montagnes

La plupart des montagnes se forment quand les plaques de la Terre bougent. Il existe trois principaux types de montagnes : les montagnes plissées, les montagnes tabulaires, ou plates, et les ballons. La plupart des plus hautes montagnes, comme l'Himalaya en Asie, sont des montagnes plissées. Elles forment de longues lignes appelées des chaînes.

COMMENT L'HIMALAYA S'EST FORMÉ

1 **Il y a environ 45 millions d'années,** la plaque qui portait l'Inde s'est dirigée vers celle qui portait le reste de l'Asie.

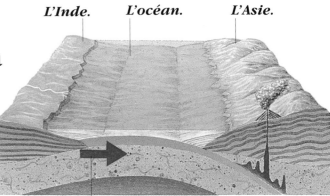

L'Inde. *L'océan.* *L'Asie.*

Plaque en mouvement.

L'océan devient plus petit.

L'Inde.

L'Asie.

Montagnes en train de grandir.

2 **Il y a à peu près 40 millions d'années,** la plaque indienne est entrée en collision avec la plaque asiatique. Les roches du fond de l'océan ont fusionné sous la pression et se sont froissées en formant des plis géants.

Plaque se rapprochant de l'Asie.

C'EST INCROYABLE !

★ L'Himalaya grandit encore d'environ 1 cm par an.

3 **Finalement, l'Inde** a fusionné avec l'Asie, et l'océan s'est retiré. Une énorme chaîne de montagnes plissées, l'Himalaya, indique aujourd'hui l'endroit de la collision des deux plaques.

L'Inde.

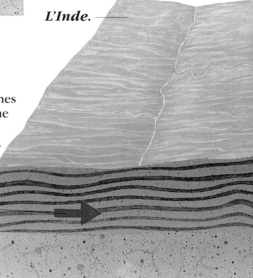

La plaque indienne se déplace vers la plaque asiatique.

Faille. 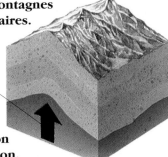 **Faille.**

Le bloc de roches
*est poussé vers le
haut entre les failles.*

**Formation
de montagnes
tabulaires.**

Le magma
*pousse les roches
vers le haut.*

**Formation
d'un ballon.**

L'AIR DE LA MONTAGNE

L'atmosphère de la Terre
est composée d'air,
un mélange d'azote,
d'oxygène et d'autres gaz.
En haut des montagnes,
l'air est raréfié. Ses gaz
sont plus dispersés
qu'au niveau du sol,
aussi il contient moins
d'oxygène et il est plus
dur de respirer.

Les Péruviens sont habitués
à l'air raréfié des montagnes
des Andes.

D'AUTRES TYPES DE MONTAGNE

Les montagnes tabulaires se forment
quand un bloc de roches est poussé
vers le haut entre deux failles. Les
ballons se forment quand le magma
pousse les roches de la surface vers
le haut et qu'elles s'arrondissent.

**Fabrication d'un
ballon avec de la
pâte à modeler.**

L'Himalaya
*est une immense
chaîne de montagnes ;
le mont Everest en fait
partie.*

Roches plissées
*de la croûte
terrestre.*

La plaque
*asiatique se
déplace vers la
plaque indienne.*

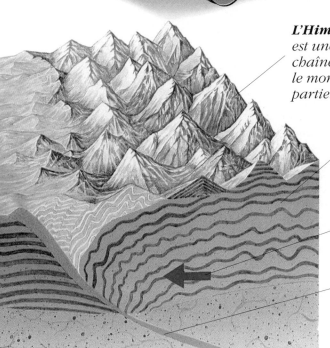

POUR EN SAVOIR PLUS
LES SITES CÉLÈBRES : les montagnes
LA VIE VÉGÉTALE : les plantes de montagne

Fissure de la faille
*où les deux plaques
se touchent.*

Roches et fossiles

Les roches de la croûte terrestre se créent et s'érodent en permanence, dans un lent processus appelé le cycle d'érosion. Quand le magma arrive à la surface, il durcit et devient de la roche ignée, ou incandescente. Celle-ci s'érode, libérant de minuscules particules, acheminées des fleuves vers la mer sous forme de sédiment. Quand les couches de sédiment s'accumulent et durcissent, des roches sédimentaires se forment.

La plupart des roches sont composées de mélanges de particules appelées minéraux. On reconnaît les minéraux à leurs couleurs spéciales, leur dureté, et les types de cristaux qu'ils forment.

De nombreuses roches contiennent des cristaux de quartz, le plus commun des minéraux.

Le schiste est une roche métamorphique qui se forme quand les argiles sédimentaires sont compressées les unes contre les autres.

ROCHES REFROIDIES

Les roches ignées se constituent quand le magma jailli des profondeurs de la Terre refroidit et durcit. Quelques-unes se forment sous la terre, d'autres en surface, à partir de la lave.

Le gabbro est une roche ignée qui se forme quand le magma refroidit.

Le magma qui refroidit à la surface de la Terre durcit et crée des roches ignées.

Le magma jaillit de l'intérieur de la Terre.

La chaleur et la pression peuvent changer les roches ignées et sédimentaires en roches métamorphiques.

MÉTAMORPHOSE DES ROCHES

Quand des roches ignées ou sédimentaires sont compressées sous la surface de la Terre ou chauffées à très haute température, elles se transforment en roches métamorphiques. Les roches des régions volcaniques sont souvent transformées en roches métamorphiques.

COMMENT SE FORME LE CHARBON

Le charbon combustible a commencé à se former il y a environ 300 millions d'années. Il est composé de plantes mortes qui ont été enterrées et lentement écrasées, devenant de la roche dure.

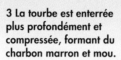

1 Des plantes marécageuses meurent et coulent au fond de l'eau.

2 Elles sont enterrées dans la boue et compressées, formant de la tourbe.

3 La tourbe est enterrée plus profondément et compressée, formant du charbon marron et mou.

4 Finalement, du charbon dur et brillant se forme.

Fossile d'une ammonite, une créature marine.

LA FORMATION DES FOSSILES

Les fossiles sont les restes de plantes et d'animaux, préservés dans de la roche sédimentaire. Pour qu'un fossile se forme, la plante ou l'animal doit être rapidement enterré par des sédiments. En pourrissant, il laisse une empreinte dans la roche, ou est lui-même fossilisé dans la pierre.

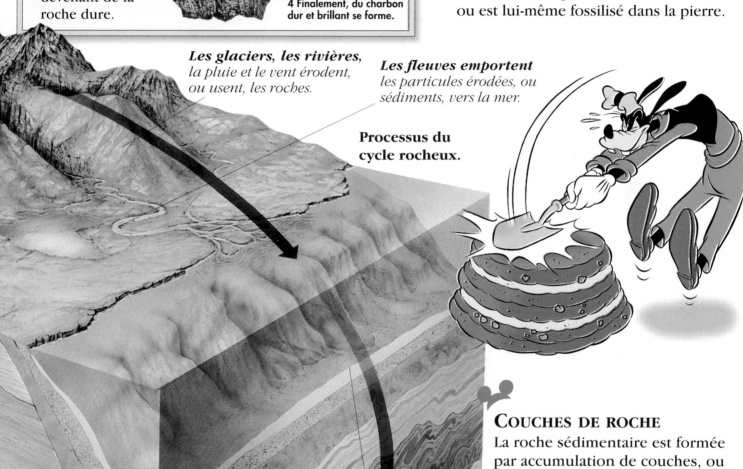

Les glaciers, les rivières, *la pluie et le vent érodent, ou usent, les roches.*

Les fleuves emportent *les particules érodées, ou sédiments, vers la mer.*

Processus du cycle rocheux.

Des couches de sédiments *et de créatures marines mortes s'accumulent et forment des roches sédimentaires.*

Le sédiment *forme un dépôt à l'endroit où les rivières rencontrent la mer.*

COUCHES DE ROCHE

La roche sédimentaire est formée par accumulation de couches, ou strates, de sédiments compressés en roche. Certains sédiments proviennent de roches usées par l'érosion. D'autres proviennent de coquillages et de fragments de corail dans la mer.

Le calcaire est une roche sédimentaire, formée sous l'eau, composée de coquillages et de squelettes de créatures marines.

POUR EN SAVOIR PLUS

LES DINOSAURES : les fossiles
L'HISTOIRE ANCIENNE : les mines

Les glaciers

☞Les glaciers sont d'énormes rivières de glace, formées de neige tombée en altitude. Ils glissent lentement le long des pentes, usant la roche en se déplaçant. Lorsque le climat se réchauffe ou lorsque le bout du glacier arrive dans une zone plus chaude, le glacier commence à fondre. En fondant, il libère la roche usée qu'il contient.

La neige tombe sur le glacier et est compressée, formant de la glace.

GLACE ET ROCHE EN MOUVEMENT
Un glacier se déplace de quelques centimètres par jour, poussé par son propre poids. Il a une puissance phénoménale. En se déplaçant, il érode, ou use, la roche qu'il touche, en ramassant les morceaux qu'il prend au piège dans sa glace.

Bord du glacier.

La moraine est une formation rocheuse due au mouvement du glacier.

De la roche érodée descend au milieu de deux glaciers joints.

Ruisseau provenant des glaces fondues.

Sédiments rocheux laissés par les glaces fondues.

Les drumlins sont de petites collines ovales de sable et de roche déposés par le glacier.

Des cratères remplis d'eau se forment lorsque des blocs de glace fondent en un endroit.

LAISSÉS PAR LES GLACES
Un glacier transporte des millions de morceaux de roche dans ses glaces. Là où le glacier fond, les morceaux de roches sont déposés. Cette collecte de pierres peut être étalée sur de vastes distances ou former des collines appelées des drumlins.

26

Début du glacier.

LA FORMATION DES VALLÉES

Les profondes *fissures à la surface du glacier s'appellent des crevasses.*

Fonte d'un glacier.

1 **Lors de périodes plus chaudes,** avant la formation du glacier, une rivière descendait la montagne. Elle éroda une vallée à deux côtés, en forme de « V ».

2 **Le climat devint plus froid.** De la glace se forma et emplit la vallée d'un glacier. Le glacier descendit lentement la pente, provoquant encore de l'érosion dans la vallée.

Les roches et les pierres érodées *sont emportées par la glace.*

3 **Lorsque le climat se réchauffa** à nouveau, le glacier fondit, laissant une vallée plus profonde, en forme de « U », et au sol plat.

C'EST INCROYABLE !

★ Le plus long glacier est le glacier Lambert-Fisher, en Antarctique. Il s'étend sur 515 km.

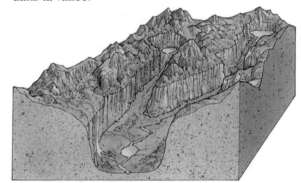

POUR EN SAVOIR PLUS
L'ATLAS DU MONDE : l'Antarctique
LES SCIENCES QUI NOUS ENTOURENT : la glace

Les mers et les océans

Plus des deux tiers de la surface de la Terre sont recouverts de l'eau des océans et des mers. Il y a cinq grands océans : le Pacifique, l'Atlantique, l'Indien, l'Arctique et l'Antarctique, et beaucoup de mers, qui sont plus petites. Les océans et les mers sont constamment en mouvement. Le vent souffle et fait des vagues, et la Lune et le Soleil exercent une attraction sur la Terre, provoquant les marées.

SOUS L'EAU

Le fond des océans n'est pas complètement plat. Comme les terres, leurs formes varient ; les fonds sous-marins ont leurs propres montagnes, récifs et fossés. Beaucoup de ces caractéristiques sont créées par les mouvements des plaques et l'activité volcanique à l'intérieur de la Terre.

Terres.

La pente continentale *est l'endroit où la plate-forme continentale s'abaisse jusqu'aux fonds marins.*

Fond sous-marin.

Plate-forme *pétrolière.*

Pétrolier.

Gaz.

Pétrole.

La plate-forme *continentale est une étendue du fond marin en pente douce.*

Forer pour extraire du gaz et du pétrole de sous la mer.

Un fossé sous-marin *est un endroit où le fond marin s'enfonce sous terre et où deux plaques se rejoignent.*

Plaque.

Plaque.

FIOUL PROVENANT DE LA MER

Le pétrole et le gaz sont renfermés dans des roches, sous la mer et la terre. Ils sont formés des restes enterrés de plantes et de créatures marines qui vivaient il y a plusieurs millions d'années. Les humains vont chercher ces combustibles sous la terre et sous la mer.

Des récifs montagneux *au fond de l'océan sont formés par le magma exerçant une pression en montant à la surface entre les deux plaques.*

Magma.

LES MARÉES

Le niveau de l'océan monte à marée haute et descend à marée basse. Les marées sont principalement provoquées par la Lune qui exerce une attraction sur les océans en se déplaçant autour de la Terre. Lorsque la Terre, la Lune et le Soleil sont alignés, le Soleil et la Lune exercent ensemble une attraction sur les océans, provoquant des marées encore plus hautes.

Attraction de la Lune sur les eaux terrestres.

L'attraction combinée de la Lune et du Soleil provoque de très hautes marées.

Marée haute.

Marée basse.

Soleil.

Lune.

L'attraction de la Lune est plus forte que celle du Soleil.

Trajectoire de la Lune autour de la Terre.

Creux de la vague.

Crête de la vague.

Vague se brisant.

L'eau se déplace en mouvements circulaires dans la vague.

Déplacement des vagues.

COMMENT SE FORMENT LES VAGUES

Les vagues se déplacent au-dessus de la surface de la mer. Leurs creux et leurs crêtes sont formés par la force du vent qui souffle à la surface de la mer. Lorsqu'une vague atteint le rivage, elle se brise sur la plage.

Les sommets à surface plate s'appellent des guyots.

Les sommets s'élevant au-dessus de la surface forment des îles.

Monts volcaniques poussés par le magma sous sa surface.

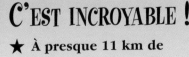

Paysage des fonds sous-marins.

C'EST INCROYABLE !

★ À presque 11 km de profondeur, la fosse des Mariannes, au fond de l'océan Pacifique, fait 29 fois la taille de l'Empire State Building à New York, aux États-Unis.

POUR EN SAVOIR PLUS
LES ANIMAUX MARINS : les oiseaux marins
L'ESPACE : la Lune

Lacs et rivières

 Une rivière est de l'eau qui s'écoule en descendant le long d'une voie étroite appelée un lit. L'eau est retenue dans son lit par des rives de pierres et de terre, qui font office de murs. Les rivières dessinent des vallées et créent des lacs et des chutes d'eau. Elles font descendre les roches érodées des montagnes, et en déposent une partie sur la terre avant de se jeter dans la mer.

Les rivières prennent en général leur source dans les montagnes, où il y a beaucoup de pluie et de neige en train de fondre.

Barques sur le delta du Gange, en Inde.

LES DELTAS

Quand une rivière approche de la mer, elle ralentit et dépose des sédiments, comme du sable, du limon ou de l'argile. Ces matériaux, appelés alluvions, se dispersent pour créer une zone de terre plate et humide appelée un delta.

DES MONTAGNES À LA MER

La source, ou point de départ d'une rivière, se trouve en général dans les montagnes, où les chutes de pluie sont les plus élevées. L'eau prend toujours un chemin descendant, le plus rapide pour arriver à la mer. Au début, une rivière traverse une vallée profonde, mais en arrivant sur un terrain plus plat, elle commence à serpenter. Son lit devient plus large et ses méandres traversent une grande vallée.

Méandre, ou coude, dans la rivière.

Bras mort.

L'embouchure de la rivière est l'endroit où elle se jette dans la mer.

Un delta se forme quand la rivière dépose des sédiments pour créer une nouvelle bande de terre.

Les zones inondables sont des plaines que la rivière inonde de temps en temps, créant une boue riche en nutriments.

Caractéristiques d'une rivière.

Eau de pluie *et neige fondue.*

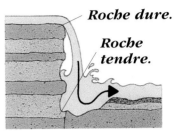

C'EST INCROYABLE !

★ Le fleuve le plus long est le Nil, en Égypte. Il s'étend sur plus de 6 700 km.

Les rapides sont des zones *d'eau écumeuse où la rivière coule sur un lit de rochers peu profond.*

On trouve des chutes d'eau *à l'endroit où la rivière coule sur de la roche dure et se jette brusquement dans le vide.*

COMMENT UNE CHUTE D'EAU CRÉE UNE GORGE

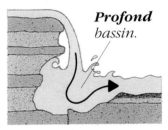

Roche dure.

Roche tendre.

1 Une chute d'eau coule au-dessus sur une couche de roche dure qui ne s'érode pas facilement, et au-dessous sur une couche de roche plus tendre.

Profond *bassin.*

2 En tourbillonnant autour de la roche plus tendre, elle l'érode et creuse un profond bassin.

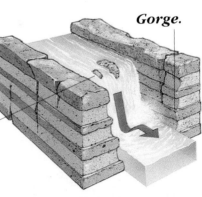

Gorge.

Quand la roche dure *s'érode, la chute d'eau recule.*

3 Au bout d'une longue période, la rivière érode une partie de la roche dure aussi, et la chute recule vers l'amont, créant une gorge.

Lac de cratère *au sommet d'un volcan.*

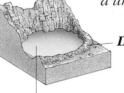

Bras mort *d'une rivière.*

Digue.

COMMENT SE FORMENT LES LACS

Quand l'eau s'accumule dans une déclivité du sol, un lac se forme. Cela peut se faire de différentes façons. Un cratère de volcan peut se remplir d'eau ; une rivière peut former un coude, laissant derrière elle un bras mort ; la boue et les pierres venant d'un glacier peuvent former une digue qui retient l'eau.

Un lac se forme derrière *une digue créée par un glacier.*

POUR EN SAVOIR PLUS
LES SITES CÉLÈBRES :
les chutes d'eau, le Gange

Paysage changeant

La forme du terrain change sans arrêt parce que l'eau, la glace et le vent l'érodent. Ce processus s'appelle l'érosion. Il se produit en général très lentement, mais les roches tendres, comme le calcaire, s'érodent plus vite que les roches dures, comme le granit. Les roches couvertes de végétation ont une meilleure protection contre l'érosion.

Les roches de calcaire rouge de Bryce Canyon, aux États-Unis, ont été sculptées par l'érosion et elles ressemblent à des châteaux de pierre. Des milliers d'années de pluie, d'écoulement d'eau, de gel et de dégel, et les substances chimiques de l'air ont usé les roches et leur ont donné d'étranges formes.

Les tours arrondies, *aux flancs escarpés, s'étendent sur environ 50 km, tout au long de la rive du fleuve.*

La roche entre les collines *a été érodée par les rivières et la pluie, laissant de hautes tours de roche.*

Les tours de calcaire de Guilin, au sud-ouest de la Chine.

SCULPTÉ PAR L'EAU

L'eau peut éroder la roche en coulant dessus ou en la dissolvant chimiquement. L'érosion chimique peut créer des paysages grandioses, comme les tours et les grottes de calcaire de Guilin, en Chine.

Bryce Canyon, aux États-Unis.

Le sommet des collines
se trouve où le niveau du sol
se trouvait autrefois.

Plaines sur les deux
rives de la rivière Li.

COMMENT SE FORMENT LES GROTTES CALCAIRES

Des grottes peuvent se former dans le calcaire par des écoulements d'eau souterrains érodant la roche tendre. Des acides dans l'eau de pluie dissolvent, ou érodent chimiquement, le calcaire. À l'intérieur des grottes, l'égouttement de l'eau forme des « glaçons » de calcaire, appelés stalactites, et des colonnes, appelées stalagmites. Les stalactites descendent du plafond et les stalagmites montent du sol.

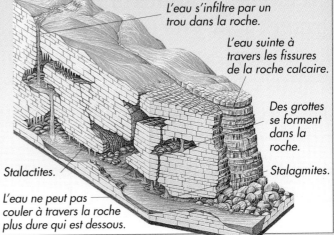

L'eau s'infiltre par un trou dans la roche.

L'eau suinte à travers les fissures de la roche calcaire.

Des grottes se forment dans la roche.

Stalactites.

Stalagmites.

L'eau ne peut pas couler à travers la roche plus dure qui est dessous.

LA PUISSANCE DU VENT

L'érosion par le vent est commune dans les zones sèches, comme les déserts, parce qu'il y a peu de plantes pour ralentir le vent ou couvrir les roches. Dans les déserts, le vent projette sur les roches des grains de sable dur, sculptant ainsi des formes telles que des colonnes et des arches.

Colonne de roche
érodée par le vent.

Roche sculptée par l'érosion.

POUR EN SAVOIR PLUS
LES SITES CÉLÈBRES : l'érosion
LA VIE VÉGÉTALE : le sol

Qu'est-ce qui fait le temps ?

Le Soleil fait le temps de la Terre. Il réchauffe l'atmosphère, faisant circuler l'air en courants ou en vents. Il commande aussi le cycle aquatique de la Terre. Ensemble, les courants, les vents et le cycle aquatique maintiennent les mouvements de la chaleur et de l'eau autour de la Terre, composant ainsi les climats du monde.

DE L'EAU PARTOUT

Le cycle aquatique est le mouvement de l'eau vers le ciel, et son retour sur la Terre. D'abord le Soleil réchauffe de l'eau sur Terre, la transformant en vapeur d'eau, un gaz invisible. Haut dans le ciel, la vapeur d'eau est transformée en gouttes d'eau et en cristaux de glace qui se rassemblent en nuages.

La pluie
et la neige
tombent des
nuages.

La vapeur d'eau
refroidit dans le ciel,
créant des gouttes
et des cristaux de glace
qui se rassemblent
en nuages.

De l'eau
est absorbée
par les sols.

Le cycle aquatique.

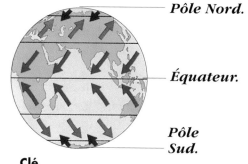

Les principales bandes de vent du monde.

Pôle Nord.

Équateur.

Pôle Sud.

Clé

➡ Vents d'est polaires.   ➡ Vents d'ouest.

➡ Alizés NE et SE.

LES VENTS DU MONDE

Le vent influence le temps. Il y a trois principales bandes de vent autour de la Terre : les vents alizés soufflent en direction de l'équateur, les vents d'est soufflent depuis l'est et les vents d'ouest depuis l'ouest.

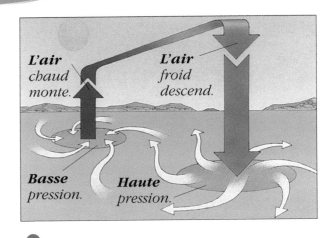

L'air *chaud monte.*

L'air *froid descend.*

Basse *pression.*

Haute *pression.*

LES CONSÉQUENCES D'EL NIÑO

Le déplacement des courants aquatiques dans les océans affecte le temps dans le monde. Par exemple, un courant chaud appelé El Niño apparaît régulièrement au large de la côte nord-ouest de l'Amérique du Sud, à quelques années d'intervalles. De l'eau tiède s'accumule près de la côte au lieu de se déplacer à l'ouest, vers l'Australie et l'Indonésie. Cela peut changer le taux d'humidité et de chaleur dans l'air partout dans le monde, provoquant des inondations dans les Amériques et des sécheresses en Australie.

Inondation à San Diego, aux États-Unis.

BASSES ET HAUTES PRESSIONS

L'air chaud monte, produisant des zones de basse pression. L'air froid est plus lourd et descend, produisant des zones de haute pression. Les vents soufflent depuis les zones de haute pression vers les zones de basse pression. Les zones de basse pression amènent généralement un temps humide et du vent, alors que les zones de haute pression amènent un temps sec et stable.

C'EST INCROYABLE !

★ La quantité d'eau sur la Terre reste constante et ne change jamais. Elle ne fait que se déplacer en boucle dans le cycle aquatique.

L'eau des rivières *et des mers s'évapore dans les airs et devient de la vapeur d'eau.*

L'eau coule *le long des rivières jusqu'aux océans et aux mers.*

POUR EN SAVOIR PLUS
LES SCIENCES QUI NOUS ENTOURENT : l'évaporation
LES TRANSPORTS : les bateaux à voile

La météorologie

La météorologie est l'étude des éléments du temps qui permettent de prédire le temps qu'il va faire. Des ordinateurs le calcule à partir des indications qu'on lui donne (mesures de la pluie, du vent, pression de l'air...).

Le temps qu'il fait est surveillé de la terre, de la mer et du ciel aussi bien que par des satellites dans l'espace. Les satellites météorologiques envoient des photos des masses nuageuses et peuvent mesurer les températures sur toute la Terre. Des perturbations telles que des ouragans se voient clairement sur les photos satellites.

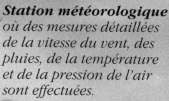

Des satellites dans l'espace prennent des photos du temps qu'il fait sur la Terre.

Station météorologique où des mesures détaillées de la vitesse du vent, des pluies, de la température et de la pression de l'air sont effectuées.

RECUEILLIR DES INFORMATIONS

Les informations concernant les changements climatiques arrivent de milliers de stations météorologiques sur la terre, de bateaux et de balises en mer, d'avions et de ballons-sondes dans les airs. Les ordinateurs les combinent avec les informations des satellites de l'espace pour faire les prévisions.

Photo de l'ouragan Gladys prise d'un satellite dans l'espace.

Les bateaux météorologiques envoient par satellites des informations aux ordinateurs sur terre.

Zone de basse pression.

Front occlus, quand un front froid fusionne avec un front chaud.

Isobare.

Front chaud.

Zone de haute pression.

Des avions spéciaux et des avions ordinaires enregistrent le temps de très haut dans la troposphère.

Carte météorologique.   **Front froid.**

LE TEMPS EN IMAGES

Les détails d'une prévision météorologique peuvent être dessinés sur une carte spéciale. Des lignes sur la carte, appelées isobares, relient les lieux qui ont une même pression atmosphérique. D'autres symboles montrent des structures comme des fronts météorologiques, de la pluie, du soleil, et des nuages.

INSTRUMENTS À MESURER LE TEMPS

Dans une station météorologique, des instruments mesurent le temps. Un barographe mesure la pression de l'air, un thermomètre la température, un pluviomètre la pluviosité et un anémomètre la vitesse du vent.

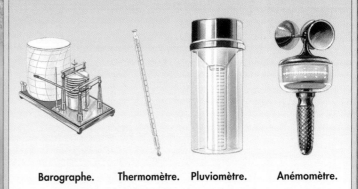

Barographe.   Thermomètre.   Pluviomètre.   Anémomètre.

Les ballons-sondes transportent des instruments pour mesurer la température, la vitesse du vent et la pression de l'air dans la troposphère et la stratosphère.

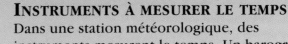

POUR EN SAVOIR PLUS
LE CORPS HUMAIN : le thermomètre
L'ESPACE : les satellites

Recueillir des informations concernant le temps.

Les balises météorologiques recueillent des informations à la surface de l'océan.

37

Nuages et fronts

 Les nuages sont faits de minuscules gouttelettes d'eau ou de glace qui flottent dans l'air. Ils se forment quand de l'air chaud monte et refroidit. Cela se produit généralement au niveau d'un front météorologique, quand une masse d'air chaud rencontre une masse d'air froid. L'air chaud est plus léger et monte toujours au-dessus de l'air froid. Près d'un front météorologique, il y a souvent des nuages, de la pluie et des orages.

Les cirrus sont hauts dans le ciel et sont composés de cristaux de glace.

TYPES DE NUAGES

Les nuages peuvent être divisés en 10 catégories, selon leur hauteur au-dessus du niveau du sol. Les quatre principaux sont : les cirrus, qui sont légers, les cumulo-nimbus, qui s'élèvent comme des tours, les stratus, qui forment des couches, et les cumulus, qui forment des masses floconneuses à bases plates.

Les stratus forment une couche plate suspendue dans le ciel comme une couverture grise.

Les cumulus sont blancs et cotonneux.

C'EST INCROYABLE !

★ À tout moment, environ la moitié du ciel de la Terre est couvert de nuages.

COMMENT UN NUAGE SE FORME AU-DESSUS DE LA TERRE

Air plus frais.

Niveau auquel la vapeur d'eau se transforme en gouttes d'eau liquides.

Air plus chaud.

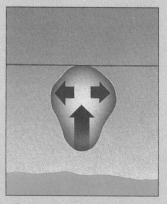

1 La chaleur de la Terre réchauffe l'air directement au-dessus d'elle, formant une bulle d'air tiède.

2 La bulle d'air tiède s'élève comme une montgolfière, se disperse et refroidit.

3 Quand la bulle d'air en ascension refroidit, l'humidité de l'air se transforme en gouttes d'eau, ce qui forme un nuage.

Les cumulo-nimbus
*sont de grands nuages noirs
qui peuvent se former près
d'un front froid.*

FRONTS CHAUDS ET FROIDS

Dans un front froid, une masse
d'air froid glisse sous une masse
d'air chaud. Dans un front
chaud, une masse d'air chaud
glisse au-dessus d'une masse
d'air froid. Aux deux sortes de
fronts, l'air chaud monte et
refroidit, formant des nuages et
de la pluie. Un front peut être
long de centaines de kilomètres.

L'air chaud
*monte et refroidit,
formant des
nuages et
de la pluie.*

Air froid
*glissant sous
de l'air chaud
dans un front
froid.*

Forte pluie.

JOUR DE BROUILLARD

Le brouillard est un nuage
qui se forme près de la
surface de la terre quand
une épaisse couche d'air au
niveau du sol est refroidie
par la terre qui est dessous.
La vapeur d'eau se condense,
ou se transforme en
gouttelettes d'eau. Ces
minuscules gouttelettes
restent en suspension dans
l'air, créant le brouillard.

Camion roulant en plein jour dans
le brouillard.

POUR EN SAVOIR PLUS
LES SCIENCES QUI NOUS ENTOURENT : la convection
LES TRANSPORTS : les ballons

La pluie et la neige

La pluie et la neige tombent sur la Terre depuis les nuages. Cela se produit quand des gouttes d'eau ou de minuscules morceaux de glace deviennent trop gros à l'intérieur des nuages et trop lourds pour rester dans les airs. L'eau ou la glace sont attirées vers le sol par la pesanteur de la Terre. La pluie tombe si l'air est chaud, et la neige ou la grêle si l'air est très froid. Quelquefois, la neige tombe des nuages, puis se réchauffe et se transforme en pluie en descendant vers le sol.

Ligne délimitant *l'altitude à laquelle les cristaux de glace commencent à se former.*

Gouttelettes *d'eau.*

De minuscules *gouttelettes tombent.*

EAU OU GLACE ?

Dans les zones chaudes, des gouttes d'eau dans un nuage peuvent fusionner avec d'autres pour former de plus grosses gouttes. Quand ces gouttes sont assez lourdes, elles se transforment en pluie et tombent sur la Terre. Dans les zones froides, les gouttes peuvent geler et devenir des cristaux de glace, qui se transforment en flocons de neige, ou réunir plus d'eau et geler de nouveau pour se transformer en grêle.

Bruine, *ou légère pluie.*

Les gouttelettes *fusionnent pour former de grosses gouttes.*

Comment se forment la pluie et la neige.

Mesurer la quantité de pluie en la recueillant dans un récipient.

C'EST INCROYABLE !

★ Le plus gros grêlon recensé pesait 1 kg. Il est tombé au Bangladesh.

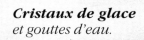

Cristaux de glace
et gouttes d'eau.

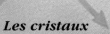

Les cristaux
de glace grossissent et tombent.

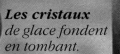

Les cristaux
de glace fondent en tombant.

Les cristaux
de glace restent gelés dans l'air glacé.

Gouttes
de pluie.

Flocons
de neige.

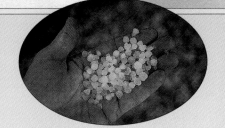

Grêlons dans la paume de la main.

PLUIE GLACÉE

La grêle se forme dans les nuages lorsque des cristaux de glace sont soufflés par de forts courants d'air. Les gouttes d'eau dans le nuage gèlent en couches sur les cristaux de glace, les rendant plus gros, jusqu'à ce qu'ils tombent sur Terre sous forme de grêlons.

Plaque.

Étoile.

Colonne.

Formes de flocons de neige.

FORMES DES CRISTAUX

Les flocons de neige se divisent en groupes de différentes formes ; les plaques, les étoiles et les colonnes. Leur forme et leur taille dépendent de la température, de la quantité d'eau dans le nuage, et et l'altitude à laquelle ils se sont formés. Les flocons de neige ne sont jamais identiques.

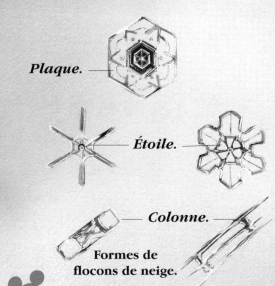

Rue inondée après une mousson au Népal.

APRÈS UNE MOUSSON

Les fortes pluies qui tombent sur certains pays tropicaux, comme l'Inde et le Népal, sont dues aux vents de mousson. Ces vents soufflent depuis des directions opposées à différentes périodes de l'année. Lorsque les vents de mousson viennent de la mer et sont chargés d'eau, ils provoquent de la pluie et des inondations.

POUR EN SAVOIR PLUS
LES ENFANTS DU MONDE : les moussons
LE SPORT : le ski

Ciels orageux

Un orage est une période de mauvais temps, avec souvent des nuages noirs, de fortes pluies ou grêles, du tonnerre et des éclairs, et de très forts vents. Dans les régions où le climat est froid, les orages se forment le long de fronts météorologiques. Dans les régions où le climat est chaud, les orages se forment lorsque de l'air chaud monte et refroidit, produisant des nuages et de la pluie. Les pires orages sont les ouragans, qui se forment au-dessus de la mer, et les tornades, qui se forment sur la Terre.

Cumulo-nimbus géant.

De forts courants d'air traversent le nuage de tous côtés.

L'électricité s'accumule quand des gouttes d'eau et des cristaux de glace se frottent les uns contre les autres dans les courants d'air.

Les vents supérieurs soufflent vers l'extérieur.

Des bandes orageuses provoquent de fortes pluies.

Les vents inférieurs soufflent vers l'intérieur.

L'air descend dans le centre calme de l'ouragan.

Coupe transversale d'un ouragan.

LES ÉCLAIRS ET LE TONNERRE

Un éclair est une étincelle électrique géante. L'électricité s'accumule dans les nuages lorsque des gouttes d'eau et des cristaux de glace se frottent les uns contre les autres. L'éclair se réchauffe et fait se dilater l'air qui se trouve sur son chemin, provoquant un son très fort que l'on appelle le tonnerre.

TOURBILLON GÉANT

Les ouragans, ou typhons, sont de gigantesques orages qui se forment au-dessus des océans tropicaux proches de l'équateur. De l'air chaud et humide s'élève et refroidit pour former des nuages qui tournent en un tourbillon géant. Les vents autour du centre de l'orage peuvent atteindre 320 km/h.

La foudre qui descend et remonte forme un éclair en forme de fourche.

Orage se formant à partir d'un cumulo-nimbus.

COLONNE TOURBILLONNANTE

Une tornade est une colonne d'air tourbillonnant provenant de la base d'un nuage orageux. Le mouvement de l'air dans une tornade est provoqué par des vents violents au-dessus du nuage. La vitesse du tourbillon peut atteindre des vitesses allant jusqu'à 480 km/h.

Tornade tourbillonnant au-dessus de terres.

Des éclairs en nappes se forment à l'intérieur d'un nuage.

Le tonnerre peut aller de nuage en nuage aussi bien que d'un nuage à l'air.

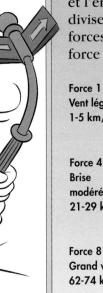

MESURER LE VENT

L'échelle de Beaufort décrit les effets du vent sur les gens et l'environnement. Elle se divise en 13 niveaux appelés forces, allant de calme à force 0, à ouragan à force 12.

Force 1 Vent léger, 1-5 km/h.	La fumée est emportée et les feuilles des arbres bruissent.	
Force 4 Brise modérée, 21-29 km/h.	Les drapeaux flottent et la poussière vole.	
Force 8 Grand vent, 62-74 km/h.	Les branches d'arbres se brisent.	
Force 12 Ouragan, 118 km/h ou plus.	Lourds dégâts sur les bâtiments.	

C'EST INCROYABLE !

★ Il y a tous les jours environ 50 000 orages dans le monde.

★ On entend le tonnerre 220 jours par an à Java, en Indonésie.

POUR EN SAVOIR PLUS

LES PERSONNAGES CÉLÈBRES : Benjamin Franklin
LES SCIENCES QUI NOUS ENTOURENT : l'électricité

Les climats du monde

Le climat d'une région est son cycle météorologique au cours de l'année. Les climats sont généralement chauds près de l'équateur, froids près des pôles, et tempérés au milieu. Les climats sont influencés par d'autres facteurs, comme les montagnes, les vents et les courants marins.

Le climat de la Terre a changé au cours de millions d'années et change encore aujourd'hui. Cela se produit à cause de phénomènes tels que les changements de températures provenant du Soleil, les grosses éruptions volcaniques, ou la pollution provoquée par les humains. Dans le passé, il y a eu des périodes appelées ères glaciaires, où le climat refroidissait.

LES ZONES CLIMATIQUES DU MONDE

Le climat du monde peut être divisé en six types principaux : tropical, subtropical, tempéré chaud, tempéré froid, désert, polaire et montagneux. Ils peuvent être divisés en zones sur une carte du monde.

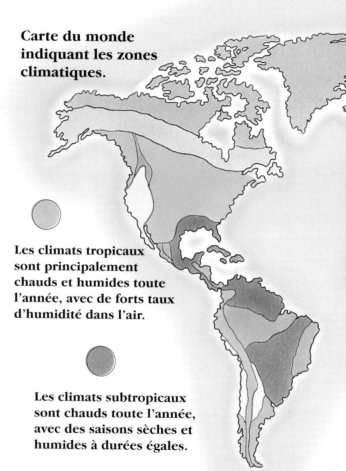

Carte du monde indiquant les zones climatiques.

Les climats tropicaux sont principalement chauds et humides toute l'année, avec de forts taux d'humidité dans l'air.

Les climats subtropicaux sont chauds toute l'année, avec des saisons sèches et humides à durées égales.

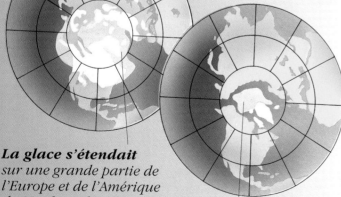

Comparaison de la calotte glaciaire entre la dernière période glaciaire et aujourd'hui.

La glace s'étendait sur une grande partie de l'Europe et de l'Amérique du Nord pendant la dernière ère glaciaire, il y a environ 20 000 ans.

Aujourd'hui, le climat est plus chaud et il y a moins de glace.

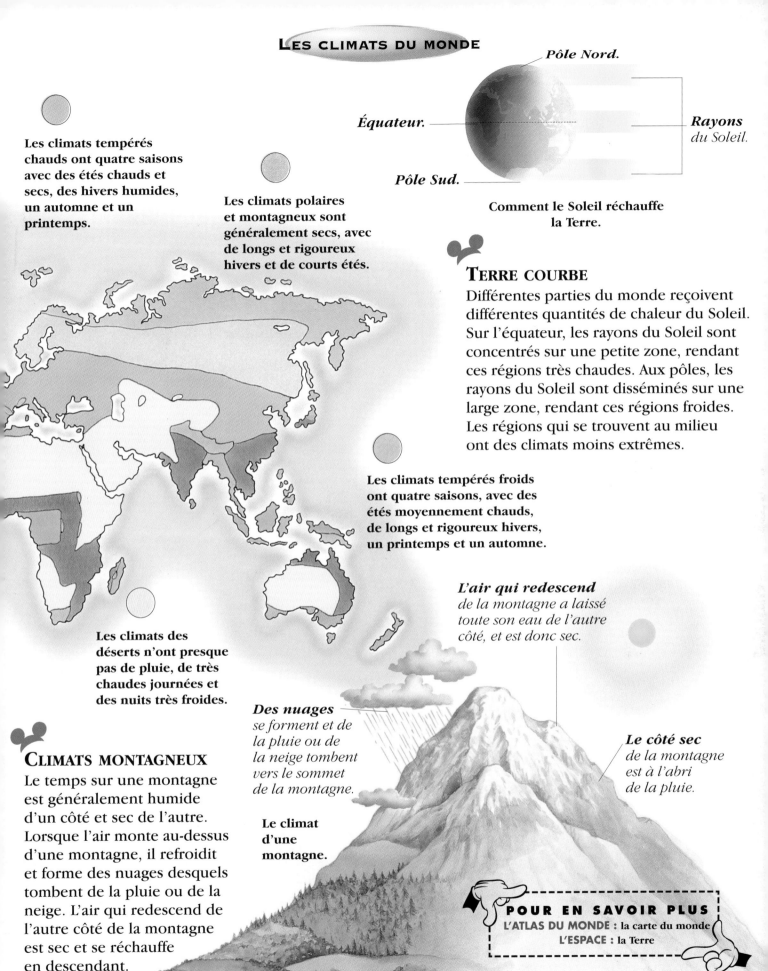

Pôle Nord.

Équateur.

Pôle Sud.

Rayons *du Soleil.*

Comment le Soleil réchauffe la Terre.

Les climats tempérés chauds ont quatre saisons avec des étés chauds et secs, des hivers humides, un automne et un printemps.

Les climats polaires et montagneux sont généralement secs, avec de longs et rigoureux hivers et de courts étés.

TERRE COURBE

Différentes parties du monde reçoivent différentes quantités de chaleur du Soleil. Sur l'équateur, les rayons du Soleil sont concentrés sur une petite zone, rendant ces régions très chaudes. Aux pôles, les rayons du Soleil sont disséminés sur une large zone, rendant ces régions froides. Les régions qui se trouvent au milieu ont des climats moins extrêmes.

Les climats tempérés froids ont quatre saisons, avec des étés moyennement chauds, de longs et rigoureux hivers, un printemps et un automne.

L'air qui redescend *de la montagne a laissé toute son eau de l'autre côté, et est donc sec.*

Les climats des déserts n'ont presque pas de pluie, de très chaudes journées et des nuits très froides.

Des nuages *se forment et de la pluie ou de la neige tombent vers le sommet de la montagne.*

Le climat d'une montagne.

Le côté sec *de la montagne est à l'abri de la pluie.*

CLIMATS MONTAGNEUX

Le temps sur une montagne est généralement humide d'un côté et sec de l'autre. Lorsque l'air monte au-dessus d'une montagne, il refroidit et forme des nuages desquels tombent de la pluie ou de la neige. L'air qui redescend de l'autre côté de la montagne est sec et se réchauffe en descendant.

POUR EN SAVOIR PLUS
L'ATLAS DU MONDE : la carte du monde
L'ESPACE : la Terre

45

Les pôles et la toundra

Aigle de mer.

☞ Les pôles Nord et Sud sont des régions gelées et glaciales aux deux extrémités du monde. La zone autour du pôle Nord s'appelle l'Arctique. C'est un océan gelé entouré de terres froides et plates appelées toundra. Il y a autour du pôle Sud un continent gelé appelé l'Antarctique. L'Arctique et l'Antarctique ont tous deux de courts étés et de longs et sombres hivers.

Le vent et les vagues *brisent des morceaux de glace en petit morceaux circulaires.*

Ours polaires.

Morses.

La plus grande *partie de l'iceberg se trouve sous l'eau.*

Des icebergs *se séparent du bord des glaciers et des plaques de glace et flottent dans la mer.*

Épaulard.

LES GLACES NORDIQUES

Le paysage polaire de l'Arctique est toujours en train de changer à cause de l'eau de mer qui circule sous la glace, la faisant craquer et se briser. La glace ne mesure que 4 m d'épaisseur. Les ours polaires sont les seuls animaux terrestres à vivre sur la glace, mais il y a des phoques, des baleines et de plus petites créatures dans la mer.

Narval.

Animaux de l'Arctique polaire et de la toundra.

L'ANTARCTIQUE

Les terres de l'Antarctique sont un désert gelé. On y trouve des montagnes, des volcans et des glaciers. Seuls les animaux qui peuvent survivre aux climats froids y vivent ou y viennent.

Les plumes et la graisse des pingouins leur tiennent chaud dans l'Antarctique glacial.

C'EST INCROYABLE !

★ L'Antarctique est presque deux fois plus grand que l'Australie. Il est recouvert d'une couche de glace qui mesure par endroits 4 km d'épaisseur.

Baleine.

Flaques *à la surface.*

La couche *de permafrost en dessous de la surface reste gelée.*

Terre *boueuse.*

Coupe transversale du sol de la toundra en été.

TERRE GELÉE

Sous sa surface, le sol de la toundra reste gelé toute l'année. Cette couche gelée s'appelle le permafrost. À quelques endroits, la fine couche de terre de la surface dégèle en été. La terre devient boueuse et des flaques d'eau se forment.

Bœufs musqués.

VIVRE DANS LE GRAND NORD

Les toundras de l'Arctique sont les régions les plus au nord de l'Asie, de l'Europe et de l'Amérique du Nord. Elles sont si froides et venteuses que seuls quelques plantes et animaux, comme les bœufs musqués, peuvent y survivre.

Lièvre de l'Arctique.

Lemming de Norvège.

POUR EN SAVOIR PLUS

L'ATLAS DU MONDE : les régions polaires
LES MAMMIFÈRES : l'Arctique

Les forêts

☞ Les forêts sont des zones où de nombreux arbres poussent ensemble. Il existe trois principales sortes de forêts : la forêt tropicale, la forêt de conifères et la forêt d'arbres à feuilles caduques. Les forêts procurent de la nourriture et un abri aux plantes et aux animaux. Les racines des arbres garantissent la stabilité du terrain et leurs feuilles délivrent de l'oxygène. Les gens coupent les arbres pour avoir du bois et défricher le terrain.

OÙ POUSSENT LES FORÊTS

Les types de forêts varient selon les climats. Les forêts tropicales préfèrent les régions chaudes et peuvent se développer dans les plaines ou au pied des montagnes, près de l'équateur. Les arbres à feuilles caduques préfèrent les régions plus froides, quelquefois le versant d'une montagne. Les conifères aiment les zones où il fait froid, près des pôles ou en haut des montagnes. Certaines régions sont trop froides pour que des arbres puissent y pousser.

Aucun arbre
à cette altitude.

Forêt de conifères.

Arbres à feuilles
caduques.

Forêt tropicale.

Pied de la
montagne.

Forêts et climat.

FAITS POUR LE FROID

On trouve des forêts de conifères dans les parties froides du monde, comme le nord de l'Asie, de l'Europe et de l'Amérique du Nord. Leurs arbres ont des feuilles qui ressemblent à des aiguilles et qui ne tombent jamais. Ces arbres à feuillages persistants résistent aux hivers les plus longs, les plus rigoureux et les plus enneigés.

La vie dans une forêt de conifères.

ARBRES POUR TOUTES SAISONS

Les arbres à feuilles caduques poussent dans des zones à climat tempéré, qui ont des saisons, comme certaines régions de Chine, du Japon, d'Europe et d'Amérique du Nord. Les arbres à feuilles caduques perdent leurs feuilles juste avant l'hiver ou avant une saison sèche. En perdant leurs feuilles, les arbres peuvent survivre au froid et à la sécheresse.

La vie dans une forêt d'arbres à feuilles caduques.

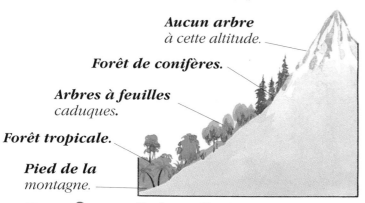

Le singe-araignée vit au sommet des arbres.

De nombreuses plantes poussent sur les branches pour se rapprocher de la lumière.

Le toucan se nourrit des fruits de la forêt.

Le serpent s'enroule autour des branches pour avoir une prise.

Beaucoup de plantes ont des extrémités pointues pour que l'eau de pluie s'écoule plus facilement.

LES ARBRES TROPICAUX

Il y a plus de sortes de plantes et d'animaux dans une forêt tropicale que dans n'importe quelle sorte d'habitat dans le monde. Il fait chaud et humide tout au long de l'année, aussi les arbres y poussent régulièrement. Très peu de lumière parvient jusqu'au sol de la forêt. La plupart des animaux et des plantes vivent en hauteur, au sommet des arbres.

C'EST INCROYABLE !

★ Jusqu'à 950 sortes différentes de coléoptères peuvent vivre sur un seul arbre d'une forêt tropicale.

POUR EN SAVOIR PLUS
LES MAMMIFÈRES : les forêts tropicales
LA VIE VÉGÉTALE : les arbres

La vie dans une forêt tropicale.

49

Les prairies

Les prairies sont d'immenses régions de terrain plat ou légèrement vallonné couvertes d'herbe. On y trouve peu d'arbres. L'herbe pousse bien dans ces territoires dégagés, en dépit des vents, des sécheresses, des incendies ou des animaux qui paissent. De nombreuses sortes d'herbes poussent à travers le monde, et les prairies ont des noms différents, comme la savane, la steppe, ou la pampa, selon l'endroit où elles se trouvent. La faune et la flore y sont très riches.

Antilope saïga.

Mouton.

Animaux en train de brouter sur une steppe d'Asie.

LA STEPPE

Les prairies tempérées et sèches d'Asie centrale et d'Europe de l'Est sont appelées des steppes. En été, la température peut atteindre 30 °C, et l'hiver, il peut faire aussi froid que – 30 °C. Il y a quelques décennies, des hordes de chevaux sauvages broutaient les courtes herbes. Aujourd'hui, les agriculteurs font pousser du blé et de l'herbe pour les moutons sur les steppes.

LE CYCLE DE LA VIE

Dans les prairies, aucune nourriture n'est gaspillée. Par exemple, dans la savane africaine, les herbivores broutent. Ils sont chassés par des carnivores ou enlevés par d'autres mangeurs de viande comme les charognards. Tous les restes d'animaux morts sont détruits par les insectes et les bactéries, et les nutriments retournent à la terre.

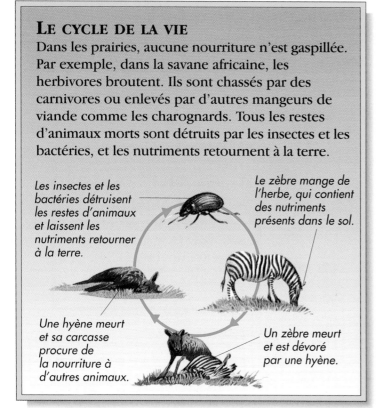

Les insectes et les bactéries détruisent les restes d'animaux et laissent les nutriments retourner à la terre.

Le zèbre mange de l'herbe, qui contient des nutriments présents dans le sol.

Une hyène meurt et sa carcasse procure de la nourriture à d'autres animaux.

Un zèbre meurt et est dévoré par une hyène.

Niveau du sol de la savane africaine.

LA SAVANE

On appelle les prairies d'Afrique tropicale la savane. Il y fait chaud toute l'année, mais il y a des saisons sèches et des saisons humides. Les herbes de la savane sont aussi bien de hautes herbes, qui peuvent atteindre 4,5 m de hauteur, que des herbes courtes, hautes de 30 cm. Des animaux comme le gnou et la girafe traversent les prairies en suivant les pluies.

Nandous.

Termitière.

Cochons d'Inde.

Trou d'eau.

De nombreux animaux vivent dans les pampas d'Amérique du Sud.

LES PAMPAS

Dans les plus tempérées et les plus humides des pampas d'Amérique du Sud et des prairies d'Amérique du Nord, l'herbe peut pousser haute et bien verte. Les pampas sont l'habitat de nombreuses sortes d'animaux qui vivent dans des terriers, comme les cochons d'Inde, de certains oiseaux ratites, comme les nandous, et de termites, qui construisent des monticules de terre et y vivent.

Les plus grands animaux, *comme les girafes, broutent* *les feuilles des rares arbres* *et des buissons, et s'abreuvent* *dans des trous d'eau.*

Les plus petits animaux *des prairies, comme* *ce type d'écureuils,* *s'abritent dans* *des terriers.*

C'EST INCROYABLE !

★ Il y a dans le monde environ 10 000 sortes d'herbes différentes.

★ En Inde, le bambou épineux peut mesurer jusqu'à 37 m de haut. C'est l'herbe la plus haute du monde.

Feu de prairie, Dakota du Nord, aux États-Unis.

DES PRAIRIES QUI BRÛLENT

Pendant les saisons sèches, des feux prennent souvent dans les prairies, soit à cause de la foudre, soit allumés par quelqu'un. Le feu détruit les arbrisseaux et les buissons, empêchant la croissance des régions boisées et de la forêt. Cependant, après un feu, l'herbe repousse fraîche et vigoureuse.

POUR EN SAVOIR PLUS
LES ENFANTS DU MONDE : les gauchos
LES MAMMIFÈRES : la savane

Les déserts

Les déserts sont des endroits secs où il ne pleut jamais ou presque. Dans la plupart des déserts, il fait très chaud durant la journée et très froid durant la nuit. Dans certains déserts, il fait froid en permanence. Souvent les déserts sont faits de sable, mais la plupart sont couverts de pierres, de graviers ou de roches nues. Peu de plantes survivent dans le sol sec du désert. Les roches sont exposées au vent et à la pluie et s'érodent en prenant des formes étranges.

C'EST INCROYABLE !

★ Les déserts couvrent à peu près un tiers de la surface de la Terre.

★ Les plus hautes dunes de sable, dans le désert du Sahara, mesurent 465 m de haut.

★ Il n'a pas plu dans le désert d'Atacama, en Amérique du Sud, depuis 400 ans.

Une roche en forme de champignon *se forme quand le vent souffle du sable à sa base, et l'érode en laissant une fine tige de roche.*

Le Wadi est une vallée *asséchée sculptée par des flots soudains, au cours d'un orage.*

Famille dans le désert de Gobi, en Asie.

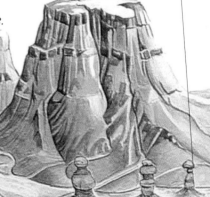

SURVIVRE DANS LE DÉSERT

Dans le désert de Gobi, en Asie centrale, les hivers sont glaciaux, avec des températures qui peuvent descendre jusqu'à – 40 °C. Même en été, des nuits froides succèdent aux journées brûlantes. La pluie dans les déserts est si rare que les plantes et les animaux se sont adaptés à survivre avec très peu d'eau. Le désert de Gobi reçoit moins de 25 cm de pluie par an.

Une dune *recourbée, avec des cornes, est appelée une barkhane.*

Paysages de désert.

PAYSAGES DE DÉSERT

Les déserts sont pour la plupart des endroits rocailleux, aux étranges formes sculptées dans le roc par l'érosion du sable. Les vents du désert projettent aussi le sable sur des monticules appelés dunes. Quelquefois, il y a des orages, et la pluie abondante crée des vallées et érode la roche la plus tendre.

LES DÉSERTS

L'eau de pluie tombe
sur les montagnes.

L'eau s'accumule
et forme une oasis.

**Formation
d'une oasis.**

L'eau est filtrée
sous le désert.

DE L'EAU DANS LE DÉSERT

Une oasis est un endroit dans le désert
où il y a de l'eau. L'eau s'y accumule
dans des creux érodés par le vent.
Elle peut provenir d'orages ou de pluies
tombées sur les montagnes alentour.
L'eau de pluie passe au travers des
roches sous le désert, et s'y accumule
pour former une oasis.

Un plateau est une grande
*île de roche dure. Ses pentes à
pic sont formées quand la pluie
érode la roche plus tendre.*

Des dunes transversales
sont formées par le vent.

Les dunes en étoile
*ont plusieurs flancs
qui se rejoignent
en un point.*

Les dunes sont de
*grands tas de sable
formés par les vents.*

Une oasis est un lieu
*où l'eau s'est accumulée,
permettant à des plantes
d'y pousser.*

POUR EN SAVOIR PLUS
LES MAMMIFÈRES : le désert de Gobi
LA VIE VÉGÉTALE : les plantes du désert

53

Aider la Terre

👉 **L**es activités humaines changent l'équilibre naturel de la Terre. Elles modifient les climats, gaspillent les ressources de la Terre et détruisent l'environnement naturel. Pour aider la Terre et ses créatures vivantes, les gens doivent produire moins de pollution, utiliser moins d'énergie et de ressources, et recycler les choses qu'ils fabriquent.

Rayons du Soleil.

DES TROUS DANS L'OZONE

Une couche d'ozone dans la stratosphère empêche beaucoup de rayons du Soleil d'arriver jusqu'à la Terre. Certains de ces rayons sont très nocifs. Ils peuvent provoquer des maladies de la peau chez l'homme. Certains produits chimiques dans les aérosols et les réfrigérateurs, en se volatilisant, font des trous dans la couche d'ozone, surtout au-dessus des pôles.

La couche d'ozone absorbe la plupart des rayons nocifs du Soleil.

Davantage de rayons nocifs du Soleil atteignent la Terre.

Le trou dans la couche d'ozone laisse passer plus de rayons nocifs.

Un peu de chaleur retourne dans l'espace.

Coupe transversale d'une partie de l'atmosphère terrestre.

De la chaleur est piégée par les gaz dans l'atmosphère terrestre.

La Terre est réchauffée par le Soleil et dégage de la chaleur.

LE RÉCHAUFFEMENT DU GLOBE

Des gaz, comme le dioxyde de carbone, qui proviennent de la combustion des carburants dans les usines, les centrales électriques et les véhicules, ainsi que des incendies de forêts, s'accumulent dans l'atmosphère terrestre. Ils bloquent la chaleur du Soleil et l'empêchent de retourner dans l'espace, réchauffant un peu la Terre. Cela s'appelle le réchauffement du globe.

LES PLUIES TOXIQUES

Des gaz nocifs, comme le dioxyde de sulfure et les oxydes d'azote provenant des véhicules et des usines, se mélangent aux nuages et rendent la pluie plus acide que la normale. La pluie acide est nocive pour la faune et la flore, et ronge les bâtiments en pierre. Réduire la pollution évite les pluies acides.

Les gaz nocifs *des usines se mélangent aux nuages.*

Le vent déplace *les nuages.*

La pluie *acide tombe des nuages.*

La pluie acide pollue les lacs et les rivières.

Replanter une forêt en Amérique du Sud.

REMPLACER LES ARBRES ANCIENS

Les gens déboisent trop de forêts pour le bois ou pour créer des chemins d'accès aux fermes ou aux villes. Dans quelques forêts, on plante de nouveaux arbres pour être sûr qu'il y aura encore des forêts sur la Terre dans l'avenir. Elles ont une grande importance, parce qu'elles influencent le temps, protègent la terre, et procurent aux plantes et aux animaux de la nourriture, un abri et de l'oxygène.

LE RECYCLAGE

Le papier, le verre, le métal, le tissu et le plastique peuvent tous être recyclés, ou utilisés de nouveau. Cela aide à utiliser moins de nouveaux matériaux pour fabriquer des objets. Cela signifie aussi qu'il y a moins de déchets dans les décharges d'ordures, qui enlaidissent la campagne et polluent l'air, l'eau et le sol.

On peut trier les différents types d'ordures en vue du recyclage.

C'EST INCROYABLE !

★ On s'attend à ce que le niveau de la mer monte de 15 à 46 cm au cours des 50 prochaines années à cause du réchauffement de la planète.

POUR EN SAVOIR PLUS
LES GRANDES INVENTIONS : le recyclage
LA VIE VÉGÉTALE : s'occuper des plantes

Glossaire des mots-clés

Atmosphère : gaz qui entourent une étoile, une planète, ou la Lune.

Caldeira : bassin rond et peu profond qui se forme quand le haut d'un volcan est emporté par une éruption.

Cirrus : légers nuages faits de cristaux de glace.

Climat : tendances climatiques d'une région sur une longue période.

Continent : l'une des sept vastes étendues de terre en lesquelles la Terre est divisée. Les sept continents sont l'Asie, l'Australie, l'Amérique du Nord, l'Amérique du Sud, l'Europe, l'Afrique, et l'Antarctique.

Couche d'ozone : couche de gaz dans l'atmosphère terrestre qui absorbe les rayons nocifs ultraviolets du Soleil.

Courant : un flux d'air ou d'eau s'écoulant dans une certaine direction.

Croûte : la mince « peau » de roche qui recouvre la surface de la Terre.

Cumulo-nimbus : énorme nuage orageux qui provoque de fortes pluies, du tonnerre et des éclairs.

Cumulus : nuage blanc et cotonneux, généralement annonciateur de beau temps.

Delta : zone plate de sédiment apporté par une rivière quand elle arrive dans un lac ou dans la mer.

Équateur : ligne imaginaire qui partage la Terre en deux.

Érosion : usure graduelle des roches et du sol par l'eau, le vent ou la glace.

Faille : fissure dans les roches de la croûte terrestre.

Fossile : restes de plantes ou d'animaux conservés dans des dépôts sédimentaires.

Front : changement de temps qui se produit quand une masse d'air chaud rencontre une masse d'air froid.

Geyser : jets d'eau chaude ou de vapeur qui jaillissent de sources chaudes souterraines.

Glacier : rivière de glace qui descend lentement dans une vallée.

Hémisphère : moitié d'un globe ou d'une sphère. La Terre est divisée par l'équateur en deux hémisphères, le nord et le sud.

Lave : roche en fusion liquide qui jaillit d'un volcan, puis refroidit et durcit à la surface de la Terre.

Magma : roche en fusion fondue dans le manteau de la Terre qui remonte parfois par les volcans.

Manteau : lourde roche profondément enfouie à l'intérieur d'une planète, comme la Terre. Intermédiaire entre la croûte et le noyau.

Minéral : une des substances inorganiques qu'on trouve dans la croûte terrestre. On extrait certains minéraux pour fabriquer d'autres matériaux.

Moraine : roches transportées par un glacier.

Mousson : vent saisonnier, soufflant vers la mer en hiver, causant une mousson sèche, et vers la terre en été, causant une mousson humide.

Noyau : partie centrale de la Terre, comportant deux couches : le noyau interne, fait de métaux solides, et le noyau externe, fait de métaux liquides.

Oasis : région du désert près d'un puits ou d'une source. Il y a souvent assez d'eau dans une oasis pour que des plantes y poussent.

Ouragan : violent orage tropical.

Permafrost : dans les régions polaires, couche de terrain sous la surface qui reste gelée toute l'année.

Pesanteur : force qui attire toute chose vers le centre d'une étoile, d'une planète, ou de la Lune.

Pluie acide : pluie mélangée aux gaz de l'air, nocive pour la faune et la flore et leur environnement.

Réchauffement du globe : réchauffement graduel de l'atmosphère terrestre.

Roche ignée : roche qui se forme quand le magma ou la lave refroidit et durcit.

Roche métamorphique : roche qui se forme quand des roches existantes sont modifiées par la chaleur ou la pression.

Roche sédimentaire : roche qui se forme quand des couches de sédiment sont pressées les unes contre les autres.

Sédiment : dépôt meuble laissé par les eaux, le vent et les autres agents d'érosion.

Stratus : couche de nuages gris et informes qui donnent souvent de longues périodes de bruine.

Toundra : vaste plaine sans arbre des régions arctiques. Son sol est souvent gelé.

Tremblement de terre : quand le sol tremble à cause d'une soudaine libération de l'énergie emmagasinée dans les roches sous la surface de la Terre.

Tsunami : raz de marée provoqué par un tremblement de terre sous-marin.

Vents alizés : nom donné aux vents qui soufflent régulièrement du côté de l'équateur.

Index

Remerciements

AUTEUR
Barbara Taylor

TRADUCTION FRANÇAISE
Christine Haydar

CONSEILLER POUR LA TERRE
Derek Elsom est professeur en climatologie au Département
de Géographie à l'Université d'Oxford Brookes, en Angleterre.
Il a écrit divers livres sur la planète et la météorologie, ainsi que
des comptes-rendus de recherche et des articles de presse.

CONSEILLERS ÉDUCATIFS
Lois Eskin, BSc, conseillère en édition, spécialisée
dans l'organisation, la recherche et la programmation
d'ouvrages éducatifs.
Kurt W. Fischer, PhD, professeur à la Harvard Graduate
School of Education.

CONSEILLERS INTERNATIONAUX
Pamela Katherina Decho, BA (Hns), conseillère éditoriale
pour l'Amérique latine.
Zahara Wan, conseiller éditorial pour l'Asie du Sud-Est.
Mighua Zhao, PhD, MSc, MA, BA, conseiller éditorial pour
la Chine et l'Asie de l'Est.

ILLUSTRATEURS
Robin Carter, Bill Donohoe, Roy Flooks, Chris Forsey, John
Francis, Nick Hall, Mike Johnson, Eric Robson, Mike Saunders,
Richard Ward. Mise en couleur Disney : Neil Rigby.

DIRECTION ARTISTIQUE DISNEY POUR CET OUVRAGE
Franco Valussi
Remerciements particuliers à Michael Horowitz et Carson Van Osten

PHOTOGRAPHIES D'AGENCES
10 Corbis/Optical Artists ; 13 ZEFA ; 16 Corbis/Tom Bean ;
18 Corbis/Michael S. Yamashita ; 19 The Stock Market Photo
Agency ; 21l GeoScience Features ; 21r Michael Freeman/Corbis ;
23l The Hutchison Library/Edward Parker ; 25 Corbis/James
L. Amos ; 30 David Cumming ; Eye Ubiquitous/Corbis ; 32 David
Hosking/Frank Lane Picture Agency ; 35 WWW.Corbis.com/Vince
Streano ; 36 NASA/Frank Lane Picture Agency ; 39 Brian
Cosgrove/Frank Lane Picture Agency ; 41t M B Withers/Frank Lane
Picture Agency, 41b L & O Bahat/ Frank Lane Picture Agency ;
43 Frank Lane Picture Agency ; 47 W Wisniewski/Frank Lane
Picture Agency ; 51 D Kinzler/Frank Lane Picture Agency ;
52, 55 The Hutchison Library.

PHOTOGRAPHIES D'ENFANTS
Ray Moller

DIRECTEUR DE PROJET - DISNEY
Remerciements particuliers à Cally Chambers